CHEZ LE MÊME ÉDITEUR

Tout est possible – Robert H. Schuller
À la recherche de votre personnalité – I. Gobeil-Talbot
Comment réussir en affaires – J. Paul Getty
C'est formidable – Paula Bélanger
Vivre à plein temps – Charlotte Hale Allen
Aide-toi et le ciel t'aidera – Jerry Schmidt
Comment se faire des amis facilement – C.H. Teear B.A.
Rêves et réalités – Dexter Yager et Doug Wead
Relations humaines, secret de la réussite – E. Wheeler
Le plus grand succès du monde – Og Mandino
Comment vivre avec soi-même – Dr Murray Banks
Le fonceur – Peter B. Kyne
Plus haut, toujours plus haut – Robert H. Schuller
Transformez votre univers – A. De Moss et D. Enlow
La psychocybernétique – Maxwell Maltz
Les miracles de la motivation – George Shinn
Se sentir bien dans sa peau – Dr Maxwell Maltz
Attitude d'un gagnant – Denis Waitley
Un guide de maîtrise de soi – Normand Vincent Peale
Comment réussir sa vie – Alfred Armand Montapert
L'excellence dans le leadership – Frank Goble
Passez à l'action – Charles Paul Conn
À la conquête de la frustration – Dr Maxwell Maltz-Barker
Puissance infinie pour une vie enrichie – Dr J. Murphy
Le filon d'or caché au fond de votre esprit – A. Norvell
La fortune en dormant – Ben Sweetland
Votre force intérieure - TNT – C. M. Bristol et S. Blanton
10 jours vers une vie nouvelle – William E. Edwards
Je vous défie! – William H. Danforth
Une puissance miraculeuse – Dr Joseph Murphy
Définissez et réalisez vos objectifs – Mark Lee
L'enthousiasme fait la différence – N. Vincent Peale

EN VENTE CHEZ VOTRE LIBRAIRE

Si vous désirez recevoir le catalogue de nos parutions
il suffit d'écrire à la maison d'édition
en mentionnant vos nom et adresse.

VIVRE DANS L'ENTHOUSIASME

DISTRIBUTION :

- *Pour le Canada*
  AGENCE DE DISTRIBUTION POPULAIRE INC.
  955, rue Amherst, Montréal H2L 3K4
  (Tél.: (514) 523-1182)

- *Pour la Belgique*
  VANDER, S.A.
  Avenue des Volontaires 321,
  B-1150 BRUXELLES, Belgique
  (Tél.: 02-762-0662)

- *Pour la France*
  EXPORTLIVRE/Agence centrale du livre
  103 Legendre
  75017, Paris, France
  Tél.: 01-226-0186

Cet ouvrage a été publié en langue anglaise
sous le titre : LIVE LIVE LIVE WITH ENTHUSIASM!
par : Choice Publications Ltd., Scarborough, Ont. M1J 1X4

Dépôts légaux 1er trimestre 1983
Bibliothèque nationale du Québec
Bibliothèque nationale du Canada

Conception graphique de la couverture :
MICHEL BÉRARD

Version française : Le bureau de traduction
TRANS-ADAPT Inc.
ISBN : 2-89225-003-X

Les Éditions «Un Monde Différent» Ltée
3400 Boul. Losch, Local 8
St-Hubert, Québec, Canada
J3Y 5T6

INTRODUCTION

Jean Scheifele, unique survivante d'un accident impliquant un train et une voiture, stupéfia ses médecins en émergeant d'un coma de trois semaines comme la femme la plus enthousiaste au monde. Jean a complété une étude approfondie de sa qualité dominante, L'ENTHOUSIASME; elle nous livre les secrets de ses découvertes et nous dévoile certaines de ses expériences au fil d'un livre intéressant et captivant.

VIVRE, DANS L'ENTHOUSIASME!

Ce livre révèle comment vous aussi pouvez devenir ENTHOUSIASTE. Une lecture qui s'impose à cette génération désabusée et sans buts.

DÉDIÉ À

UN MONDE qui a désespérément besoin d'ENTHOUSIASME.

REMERCIEMENTS À

KEN PARKER, l'instigateur de ce livre.

MAMAN, qui m'a inculqué l'amour de notre langue et me l'a apprise à l'aide de jeux amusants, concours d'orthographe et autres.

BETTY WOOD et ELLA NEALE, qui me sont si chères, qui m'ont donné des observations stimulantes, qui ont tout laissé de côté pour revoir immédiatement mon manuscrit.

ARTHUR CRAIG, que j'estime profondément et dont je me souviendrai toujours, lui qui m'a encouragée à demeurer sur la route du succès à tout prix.

DOUG SMITH, source intarissable d'inspiration et d'encouragement, m'incita à pousser mon étude toujours plus loin.

JOE McALEER, a été plus que le simple illustrateur enthousiaste de mon livre. Merci pour ses idées, pour son encouragement, pour les nombreuses, très nombreuses heures où il s'est penché sur un nombre incalculable de problèmes et de domaines débordant largement le cadre de son travail.

BRENDA CHEE, secrétaire hors pair, merveilleuse et enthousiaste. Une perle toujours prête à accepter un nouveau défi. Et avec moi, c'en était tout un.

JOY GRAHAM, ARVI BERENSON, GARY ANTION, ART MOKAROW, CAROLA FINCH et JILL HARDY, tous ont été pour moi une source d'inspiration.

RENEE LONG, mille mercis pour ses observations et pour sa ténacité et les longues heures ardues, passées à taper mon manuscrit.

IAN BELL, qui a trouvé le temps, malgré un horaire chargé, de revoir une dernière fois le manuscrit.

TOUS MES AMIS, qui m'ont permis de partager mon enthousiasme avec eux, pour leurs observations et leur aide.

RICK CAMPBELL, presque le dernier mais non le moindre, pour son encouragement, son aide et ses renseignements inestimables.

MON MARI, avec beaucoup d'amour; merci à un mari unique qui au fil des années a toléré mes idées parfois étranges mais enthousiastes. Il m'a toujours soutenue et ainsi mon enthousiasme a pu s'épanouir jusqu'à pleine maturité. Sans son amour et son inlassable patience, ce livre n'aurait jamais vu le jour. Mille mercis aussi, WARREN, pour ta FORMULE FANTASTIQUE et pour les durs combats que tu as dû livrer pour l'édition de mon livre. Ça lui a permis de prendre forme.

TABLE DES MATIÈRES

L'AUTEUR

JEAN SCHEIFELE est la mère attentive et enthousiaste de trois enfants. Elle trouve aussi le temps d'occuper un poste de direction au sein de l'entreprise de son mari et le temps pour écrire.

L'ILLUSTRATEUR

JOE McALEER est un artiste pigiste. Il a reçu une formation au Danforth Technical School et au Ontario College of Art. Il a travaillé plusieurs années en tant qu'artiste commercial avant de devenir pigiste.

AVANT-PROPOS

À ce stade de ma vie, je suis excitée, absolument emballée à l'idée que Dieu m'a donné un sujet si beau, si passionnant, si fantastique, si explosif à traiter. Je ne puis que m'émerveiller et dire : MERCI, MERCI, MERCI, MERCI.

Je me rends parfaitement compte que nous devons répondre des dons que nous recevons. Veuillez m'en croire, j'en suis tout à fait consciente. Je tâcherai de ne pas abuser de ce don ni de l'utiliser à mauvais escient. Je traiterai mon sujet avec respect, gratitude et émerveillement, espérant du même coup me rendre utile aux autres autant que possible.

VIVRE DANS L'ENTHOUSIASME

Ne craignez pas que la vie se termine un jour mais craignez plutôt qu'elle ne commence jamais. Vivre, c'est-à-dire, vivre vraiment, c'est ce qu'il y a de plus rare en ce monde. La plupart des gens existent seulement.

J'adore la vie. J'aime chaque seconde de chaque minute, de chaque jour, de chaque semaine, de chaque mois, de chaque année. La vie signifie davantage pour moi que pour la plupart des gens, probablement parce que j'ai failli la perdre. À seize ans, je fus la seule personne à survivre à un accident impliquant un train et une voiture. Je passai les trois semaines suivantes dans le coma. Les médecins dirent alors à ma famille qu'il n'y avait pas la moindre chance que je m'en sorte. Plus tard, lorsque je repris mes sens, on pensa que j'étais folle. Ma vie recommençait à zéro. Mon côté gauche était entièrement paralysé. Je ne pouvais ni parler ni marcher. On m'avait rasé la tête pour soigner des blessures graves. Lorsque je recommençai à parler, on découvrit que j'étais amnésique et que mes membres ne répondaient plus. Cependant, mon état s'améliorait de jour en jour, les médecins déclarèrent qu'ils n'avaient jamais été témoins d'une pareille volonté de vivre.

Au fil des années, je suis venue à attribuer ma guérison complète à Dieu, bien qu'il devait s'écouler un certain nombre d'années avant que je fasse connaissance avec Lui sur le plan personnel.

Vous pouvez me croire, la remontée a été ardue mais j'ai bénéficié d'une aide appréciable en cours de route. En fait, il s'agit là de mon aide la plus précieuse...

L'ENTHOUSIASME

Le mot vient du grec enthusiasmos (transport divin), de theos (dieu). «Délire sacré qui saisit l'interprète de la divinité. État où l'homme, soulevé par une force qui le dépasse, se sent capable de créer» (Le petit Robert).

L'enthousiasme est considéré comme étant une faculté divine.

En 1721, Nathaniel Bailey écrivit : «Enthousiasme veut dire rage ou furie prophétique ou poétique, qui transporte l'esprit et enflamme l'imagination et la fait exprimer des choses d'une manière extraordinaire et surprenante.»

Il était écrit dans le Grub St. Journal, en 1735 : «L'enthousiasme se définit comme tout appétit exorbitant et monstrueux de l'esprit humain, la raison et le bon sens, pour poursuivre un but.»

ULTRASUPERNATURALISME

R.A. Knox qualifie la véritable caractéristique de l'enthousiaste d'«ultrasupernaturalisme». L'enthousiaste attend plus de résultats tangibles de la grâce de Dieu que d'autres. Simplement parce qu'il ose davantage et qu'il demande avec anticipation.

QUOI QUE CE SOIT QUE VOUS PUISSIEZ FAIRE OU RÊVER DE POUVOIR FAIRE, COMMENCEZ-LE. IL Y A DU GÉNIE ET UNE CERTAINE PUISSANCE DANS LA HARDIESSE.

«L'arme la plus puissante au monde est l'âme humaine embrasée.» (Marshall Ferdin Fochin)

Quand vous ressentez de l'enthousiasme et du zèle pour une cause, vous devenez excité. L'excitation vous stimule, produit en vous un surplus d'adrénaline qui vous permet de produire et de travailler plus efficacement.

En fait, l'ENTHOUSIASME est souvent le pont qui sépare la pauvreté de la prospérité.

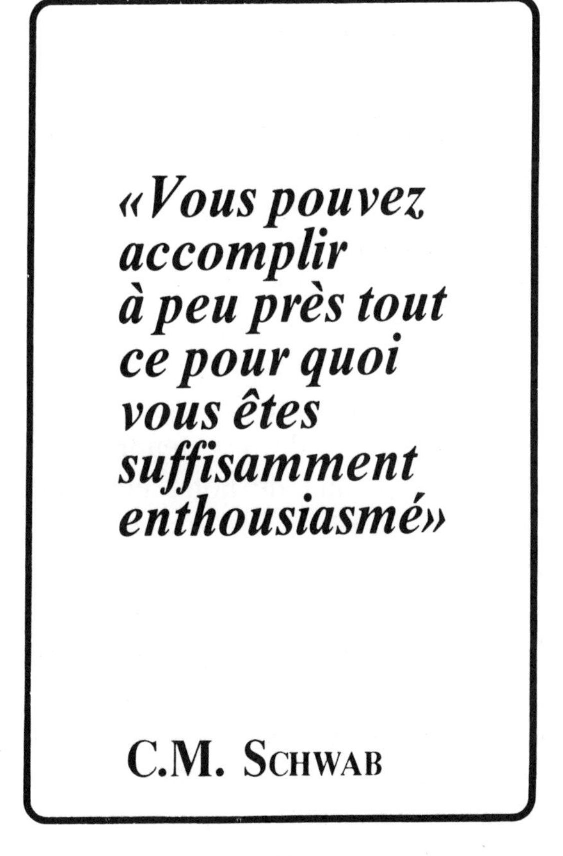
«Vous pouvez accomplir à peu près tout ce pour quoi vous êtes suffisamment enthousiasmé»
C.M. Schwab

LES BUTS ET LE SUCCÈS

Le petit Robert définit le succès comme «le fait, pour quelqu'un d'obtenir ce qu'il a cherché, de parvenir à un résultat souhaité.» Nous sommes, de par notre nature, des êtres qui poursuivent des buts et parce qu'il en est ainsi, nous ne sommes heureux que dans la poursuite et l'accomplissement de nos objectifs. Nous devons tendre vers l'accomplissement de notre être intérieur, là où règne un profond désir d'exceller.

Sans objectifs, nous sommes comme un navire à la dérive sur l'océan, sans destination. Les objectifs sont essentiels au bonheur, au sens d'accomplissement et à l'enthousiasme.

«Appliquez-vous à obtenir ce que vous aimez, sinon vous serez forcé d'aimer ce que vous obtenez». (George Bernard Shaw.)

Il est nécessaire de choisir des objectifs avec lesquels on pourra vivre quand on les aura atteints. Ne soyez pas écervelé comme je l'ai été à quinze ans. À un camp d'été, j'ai décidé de tout quitter. L'herbe semble toujours plus verte de l'autre côté de la clôture. En réalité, je n'ai fait que sauter de la poêle à frire dans le feu. Croyez-moi, il m'a fallu des années avant de débrouiller tout cela en moi.

Maintenant que j'ai changé de rôle, que je suis un parent et non plus une enfant ou une adolescente, les choses m'apparaissent très différentes. J'avais si peur que mes enfants agissent comme moi. Avec les enfants, on ne peut que faire de son mieux et espérer pour le mieux.

Le nouveau concept de l'établissement des valeurs est très intrigant et réconfortant. Je vais vous l'expliquer très brièvement au cas où vous ne seriez pas sûr de quoi il s'agit. Dès la naissance, l'enfant commence à accumuler des valeurs. Elles lui viennent de sa famille, de ses amis, de l'Église, de l'école, de la radio et de la télévision, etc. On pense généralement que la plupart des valeurs sont ancrées dans l'esprit de nos enfants quand ils ont atteint l'âge de dix ans. Cela signifie que chacun d'entre nous assumons une très lourde responsabilité.

Nous nous devons de bien travailler au cours de ces années. Il faut faire très attention, dans l'éducation de nos enfants, de ne pas freiner ou écraser leur enthousiasme. Les enfants sont relativement malléables jusqu'à l'âge de dix ans. Après cela, la pression se fait plus grande sur eux et s'amplifie chaque année. Ils peuvent agir tout à fait au mépris de leur bagage de valeurs pour un temps, mais on croit fermement qu'ils reviennent généralement aux valeurs de leur enfance.

Effectivement, par l'histoire de l'enfant prodigue, la Bible nous fournit un exemple de cela. À un moment donné, le fils décide de faire SON CHEMIN. Peu après, il revient. Une facette importante de cette parabole m'a échappé pendant longtemps : le père n'a pas obligé son fils à rester à la maison. Il l'a laissé libre de partir.

Je crois très fortement que nos enfants devraient savoir (et bien savoir) que s'ils font une erreur, nous leur pardonnerons et les aiderons à en surmonter les conséquences. Dieu nous dit que nous serons pardonnés et Il nous protège.

Dieu, dès le départ, nous procure tout l'enthousiasme voulu. Satan est le dieu de ce monde. Il déteste l'enthousiasme et tente désespérément de le détruire. Habituellement, à la fin de l'adolescence, la plus grande partie de notre enthousiasme s'est envolée et, par conséquent, nous avons tendance à vieillir avant le temps. La Bible nous invite à devenir comme des petits enfants. Comment sont les petits enfants? Les yeux brillants, impatients d'apprendre, curieux, zélés, excités et remplis de foi et d'enthousiasme. Ils sont ouverts et débordants. On sait habituellement à quoi s'en tenir avec les enfants.

Comment sont
les petits enfants?
Ils ont les
yeux brillants,
ont soif
d'apprendre,
sont plein
de curiosité...

UNE LUMIÈRE QUI BRILLE

Vous êtes la lumière du monde. Une ville ne peut se cacher, qui est sise au sommet d'un mont. Et l'on n'allume pas une lampe pour la mettre sous le boisseau, mais bien sur le lampadaire, où elle brille pour tous ceux qui sont dans la maison. Ainsi votre lumière doit-elle briller aux yeux des hommes pour que, voyant vos bonnes oeuvres, ils en rendent gloire à votre Père qui est dans les cieux. (Mt 5; 14-16, Bible de Jérusalem).

L'enthousiasme est une lumière qui brille. Apporter de nouveaux intérêts dans sa vie est une façon excitante de susciter de l'enthousiasme. Quand nous étions à Hawaï, mon fils de six ans (Andrew) connut sa première expérience de plongée sous-marine. Il sortit de l'eau, les yeux grands comme des soucoupes. Il était en extase devant le monde merveilleux qu'il venait de découvrir.

Chez nous, on nous apprenait à apprendre. Apprendre tout ce qui nous était possible d'apprendre. Je vois encore maman, répétant pour la millième fois au moins, qu'on n'est jamais trop vieux pour apprendre. Elle pratiquait ce qu'elle prêchait puisqu'à soixante-huit ans, elle suivait simultanément des cours de français, d'allemand et d'espagnol.

Au cours du printemps dernier, j'ai eu l'occasion d'aller voir tante Lenora. Le livre de Catherine Marshall, «Christy», raconte la jeunesse de ma tante. À quatre-vingt-six ans, elle menait encore une vie très active. Au cours de notre entretien, elle a fait un commentaire qui m'a frappé. Elle disait : «La vie n'est-elle pas passionnante, Jeanie?»

IMPOSSIBLE, VRAIMENT???

Quand vous dites qu'une situation ou qu'une personne ne peut être changée, vous limitez Dieu. Laissez l'enthousiasme venir à votre aide et rappelez-vous qu'avec Dieu, rien n'est impossible. Vous ne pouvez prendre le présent en charge si vous êtes occupé à revivre vos erreurs passées. Oubliez le passé, mais tirez-en bien les leçons. Dieu relègue nos péchés aussi loin que l'Est est éloigné de l'Ouest. Il pardonne et oublie complètement nos erreurs et nos péchés.

Il faut regarder au-delà des problèmes et tenter de voir le résultat de sa démarche. Il y a toujours de l'espoir. Je me souviens si clairement de ce jour où ma fille de dix ans revint à la maison après avoir rendu visite à son père et à son grand-père. Elle me cria, en courant dans l'escalier : «Maman! Maman! Tu as vraiment des ennuis!» Je l'écoutai intensément et je compris bientôt exactement de quoi il s'agissait. Mon étrange mari et son père complotaient dans le but de m'arracher ma fille. Il n'était pas question que j'accepte cela. Je savais qu'il me fallait agir et rapidement. Pas un instant à perdre. Je devais partir sur le champ. Je m'étais tant appliquée à inculquer de bons principes à ma fille et pourtant, en passant chaque fin de semaine avec son père, elle était forcée d'agir tout à fait à l'inverse. La situation était extrêmement difficile.

Je me souvins de très bons amis (les Scott) qui venaient de partir pour la

Californie. Ils m'avaient invitée à venir les y rejoindre quand je le voudrais. Je m'empressai de leur téléphoner pour m'assurer que l'invitation tenait toujours, et puisqu'elle tenait, je leur fis savoir que nous allions bientôt nous mettre en route. Puis, avec le concours de quelques amis très dévoués, je mis mon plan à exécution. Je n'hésitai plus. Je fourrai quelques articles nécessaires dans une valise et partis, m'arrêtant assez longtemps au bas de l'escalier, le temps de réfléchir rapidement à ce qui m'attendait. Reviendrais-je un jour? Que faire de mes meubles? Et de mes amis? Que me réservait l'avenir? Le lendemain, j'allais me retrouver à 4 800 kilomètres plus loin et j'aurais le temps de songer à tout cela alors. Quand on est sûr d'agir pour le mieux, il ne faut pas hésiter à sacrifier ce que l'on est pour ce que l'on peut devenir.

Mieux vaut devenir qu'être.

Ne laissez jamais vos succès d'hier vous empêcher de bien faire aujourd'hui. Comme ce super vendeur qui sait qu'il est capable de vendre n'importe quoi à n'importe qui et qui remet sans cesse son travail jusqu'à ce qu'il n'ait plus le courage de travailler du tout.

L'inquiétude est un vieillard qui chemine
Écrasé sous le poids d'un sac de plumes
Qu'il croit être de plomb.
Ce n'est pas le travail qui tue, c'est l'inquiétude.

La définition de William A. Ward dit bien ce qu'est l'inquiétude:

L'inquiétude déforme nos pensées, trouble notre travail, dérange notre corps, défigure notre visage, détruit notre équilibre, déprime nos amis, démoralise notre vie, ronge notre foi et ruine notre énergie. En d'autres termes, elle étrangle notre enthousiasme.

Un esprit occupé est un esprit heureux; un esprit oisif est au service du mal. Il y a longtemps que j'ai découvert que le dur labeur a une valeur incalculable, et tout particulièrement lorsque quelque chose me préoccupe. Alors, j'aime à travailler tard le soir, à nettoyer, polir, frotter, à faire n'importe quoi pour me tenir occupée. Le travail enlève de la pression et permet à l'esprit d'éclairer la situation. S'il s'agit d'un problème encore plus sérieux, et j'en ai eu ma part, au moins le travail m'épuise-t-il de sorte que je peux bientôt m'endormir. Il est toujours plus facile d'affronter les soucis le matin.

Le premier tiraillement d'anxiété indique qu'il faut faire attention; QUELQUE CHOSE est sur le point de survenir. Soyez ouvert, laissez vos sentiments s'exprimer et permettez à Dieu de vivre plus complètement en vous. Soyez vous-même et ne prétendez pas être ce que vous n'êtes pas.

Il faut souvent ignorer les autres et faire son chemin dans la vie en prêchant par l'exemple. L'un de mes plus grands problèmes consiste à me prendre trop au sérieux et à accorder trop d'importance à ce que les autres disent. Il est facile de parler et les gens parlent beaucoup. GARDEZ-VOUS DE TOUT NÉGATIVISME. IL EST NÉFASTE DE SE PLAINDRE. Souvenez-vous que Dieu a permis que les enfants d'Israël errent dans le désert pendant quarante ans à cause de leur rébellion. SI VOUS FAITES PREUVE DE NÉGATIVISME, VOUS OBTIENDREZ DES RÉSULTATS NÉGATIFS. PRATIQUEZ L'ENTHOUSIASME ET VOUS AUREZ DES RÉSULTATS ENTHOUSIASMANTS.

Pour tout mal sous le soleil
Il y a un remède ou il n'y en a pas
S'il y en a un, cherchez-le.
S'il n'y en a pas, ne vous en souciez pas.
(Anonyme)

Il y a des années, j'ai découvert que le dur labeur a une valeur incalculable, surtout lorsque quelque chose me préoccupe.

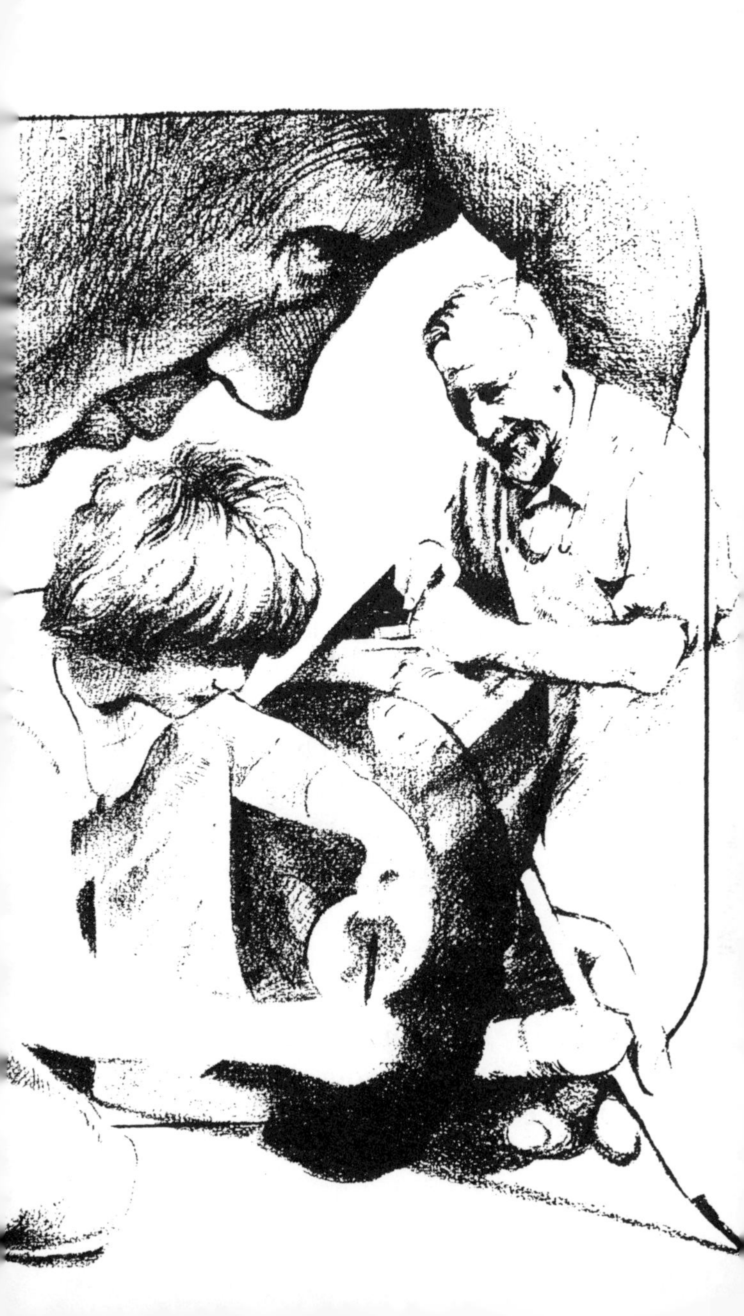

DONNER DU BONHEUR AUX AUTRES

Voyons une des façons les plus faciles et les plus simples de donner du bonheur à soi-même et aux autres : le sourire. Le sourire tient le même langage partout dans le monde. Nous devrions sourire pour la joie des autres. Le plus grand plaisir consiste à promouvoir la joie chez les autres. Même lorsque vous êtes vous-même déchiré, vous pouvez sourire aux autres et cela concourt à alléger votre douleur.

«Le sourire est une courbe qui redresse bien des choses.» (Anonyme). «Esquissez un sourire, car quand vous souriez, un autre sourit et bientôt il y aura des milliers de sourires; vraiment, la vie vaut la peine d'être vécue si vous prenez la peine de sourire.» (Anonyme).

«Il faut mettre 34 muscles en action pour froncer les sourcils et seulement 13 pour sourire. À quoi sert l'effort supplémentaire?» (Anonyme).

Soyez heureux, toujours; tout sentier est plus facile à parcourir, toute charge est plus légère, toute ombre sur le coeur ou dans l'esprit se dissipe plus rapidement chez la personne déterminée à être joyeuse. (Willitts).

On trouve dans les Proverbes 17;22 : «Coeur joyeux, excellent remède! Esprit déprimé dessèche les os».

Le pessimisme enlève 10% de chance de guérison. Ceci confirme que nous pourrions épargner des milliers de dollars chaque année, si nous prenions seulement la peine de regarder le bon côté des choses. «Les gens qui rient vivent réellement plus longtemps que les autres.» (Dr Jane Walch.)

«Je ne suis qu'un, mais je suis un, je ne peux pas tout faire mais je peux faire quelque chose, et je ne laisserai pas ce que je ne peux faire m'empêcher de faire ce que je peux faire.» (Edward Everett Hale.)

Nous devrions sourire pour la joie des autres.

Nous devrions sourire pour la joie des autres.

JOUIR DE LA VIE

Réjouis-toi, jeune homme, dans ta jeunesse, et sois heureux, aux jours de ton adolescence. Suis les voies de ton coeur et les désirs de tes yeux! Mais sache que sur tout cela, Dieu te fera venir en jugement. (Qo 11;9)

Ayant l'éternité devant nous, nous sommes tous très jeunes, n'est-ce pas? Si vous êtes enthousiaste, la vie est vraiment merveilleuse. Essayez de voir des défis dans vos tentatives. Si les tentatives et les défis sont des étapes, ce sont parfois des chemins rudes et rocailleux. Dans un sentier étroit, les étapes sont parfois très éloignées les unes des autres. Il nous faut sauter de temps à autre par-dessus un obstacle pour les franchir et il nous arrive souvent de tomber et de nous cogner la tête sur des pierres. Les meurtrissures guérissent avec le temps. Le sentier n'est pas toujours aussi rude. Plus bas dans la vallée, il s'aplanit, s'adoucit. Ce qu'il importe de se rappeler, c'est DE NE PAS LÂCHER. Qui ne veut pas s'avouer vaincu ne peut pas être vaincu.

Un jour, on m'a invitée à prononcer un discours. Je me demandais comment j'allais y arriver. En me quittant le matin, mon mari pensait : «Comment peut-elle arriver à mettre un discours au point pour ce soir au milieu de tous ces livres et documents éparpillés partout?» Extérieurement, je me mis à la tâche avec confiance, mais intérieurement, je pensais aussi : «Comment vais-je en venir à bout pour ce soir?» Il me restait encore trois livres à lire et puis, il me fallait puiser dans une multitude de notes tirées de cinquante autres ouvrages. Il me fallait encore taper mon texte, moi une dactylo médiocre. Je me dis que puisque mon mari avait entière confiance en moi, je devais donc être capable d'y arriver.

J'étais si excitée et remplie d'enthousiasme, que je travaillai toute la journée sans relâche. Pour sûr, juste avant de quitter la maison, je retirai la dernière feuille de la machine à écrire. Je revis mon texte pour le Club. Au Club, je donnai mon discours sur l'enthousiasme. Tout se passa très bien.

Aimer les autres engendre de l'enthousiasme. Cela encourage les autres et vous encourage aussi. Soyez enthousiaste, osez faire les choses différemment. Une idée de notre comptable me sembla formidable et je décidai de l'exploiter. À la première foire commerciale à laquelle je participai, je m'habillai en petit Chaperon rouge.

Tout se passa extrêmement bien. Huit ans après, on se souvient toujours de moi et on m'appelle encore le petit Chaperon rouge. Évidemment, je ne me prive toujours pas de taquiner le jeune homme que j'avais baptisé le loup. C'est cet événement qui lança la foire commerciale. Il nous valut beaucoup de plaisir et de nouveaux amis en plus de nous aider à nous lancer et à mettre notre affaire en marche.

Le Christ est venu pour que nous ayons la vie et qu'elle soit plus riche. Pour ce faire, nous devons être zélés, au service d'un Dieu zélé. Quoique nous fassions, on nous demande de le faire de toutes nos forces. Quand j'en vins à vraiment prendre conscience de Dieu sur une base individuelle, je trouvai excitant et stimulant le mode de vie qu'Il me proposait. Cela m'aida à conserver l'enthousiasme et à me développer dans l'enthousiasme. Dieu est là, tout disposé à nous aider en toutes circonstances.

Nous devons être enthousiastes, nous pouvons influencer les choses. Nous devons rêver, tout est possible. Nous devons faire preuve d'imagination, nous avons à participer à la création d'un univers.

Il y a deux façons de procéder : dans l'anxiété ou dans l'enthousiasme. Choisissez l'enthousiasme. Nous possédons tous une réserve latente d'enthousiasme qui attend d'être découverte. Imposez-vous une séance de recherche intensive d'idées pour vous stimuler. L'enthousiasme doit nous envahir tout entier et ne pas demeurer stagnant. Nous devons être rempli de l'Esprit saint de Dieu, d'où émane véritablement l'enthousiasme. La foi est synonyme d'enthousiasme. Avec la foi, nous pouvons réclamer de Dieu la promesse de nous donner ce que nous demandons, quoi que ce soit.

Je me souviens d'avoir appris la promesse de Dieu concernant l'argent dans Malachie 3;10. Dieu dit : «Mettez-moi ainsi à l'épreuve... pour voir si je n'ouvrirai pas à votre intention les écluses du ciel et ne répandrai pas en votre faveur la bénédiction en surabondance.» J'étais alors très crédule, aussi j'ai dit ; «D'accord, Seigneur, si vous pouvez faire cela avec mes misérables 32,50$, allez-y». Il fit plus qu'honorer sa promesse. Les fenêtres du ciel se sont véritablement ouvertes et Dieu a fait surgir de toutes parts des bénédictions fantastiques, merveilleuses, excitantes.

Je me souviens d'avoir été sans le sou deux fois. Et j'ai reçu de l'argent par le courrier. Il est fascinant de constater comment au fil des années, je continuais à recevoir les bénédictions de Dieu. J'ai encore du mal à y croire. Il faut bien nous rendre compte encore une fois que Dieu ne travaille pas comme nous. Une fois, j'ai été congédiée seulement pour avoir un meilleur emploi. Je n'en ai jamais douté. J'ai vraiment pris la promesse de Dieu au

PENSEZ ENTHOUSIASME

VISUALISEZ L'ENTHOUSIASME

VIVEZ L'ENTHOUSIASME

pied de la lettre; je savais qu'Il honorerait sa partie du contrat.

Nous devrions réclamer l'enthousiasme à grands cris.

DEMANDEZ et l'on vous donnera: CHERCHEZ et vous trouverez; FRAPPEZ et l'on vous ouvrira. Car quiconque demande reçoit; qui cherche trouve; et à qui frappe, on ouvrira. (Mt 7; 7-8)

Recherchez vos talents, ils sont en vous ou Dieu a menti. Et nous savons qu'Il ne ment pas. Il est excitant de les trouver, alors mettez-vous à l'oeuvre.

LE TEMPS

Le temps est tellement important. Il semble que nous soyons toujours à blamer le temps pour les choses que nous n'arrivons pas à faire. Quant à moi, je suis très parcimonieuse de mon temps. Je déteste le gaspiller. En 1964, il me fallait me lever à 4.00 heures du matin. Je l'ai fait pendant une année entière jusqu'à ce que je puisse déménager plus près de mon travail. J'utilisais tout mon temps, lisant en autobus, lisant en marchant; je ne voulais perdre aucune de ces précieuses minutes.

J'avais fidèlement fait mes exercices quotidiens pendant des années. Et c'est à ce moment que j'ai compris que l'exercice pouvait remplacer le sommeil. Je ne recommande à personne de manquer de sommeil sauf en ces rares occasions où l'on n'a pas le choix, mais si vous devez vous passer de sommeil, assurez-vous de le remplacer par un bon programme d'exercices.

Je m'y suis jetée à corps perdu, je n'avais rien à perdre. Je poursuivais un but et cela suscitait chez moi l'enthousiasme de faire tout ce qu'il fallait pour l'atteindre. J'en avais donc la force et je me suis très bien arrangée.

Ce qui ne veut pas dire qu'il faille être occupé en tout temps, à faire des choses. Nous avons tous besoin d'un temps de calme pour nous-même. Il nous faut évaluer le progrès accompli dans la poursuite de nos objectifs et, peut-être modifier nos plans. C'est pourquoi j'adore me lever tôt le matin avant que la maisonnée, les enfants, les chiens, le piano, etc. ne se mettent en branle.

Si vous êtes absolument débordé, ne vous en faites pas. Certaines de nos meilleures idées surgissent précisément quand nous sommes le plus occupé... au moment où vous ne pensez pas pouvoir insérer autre chose dans votre horaire. Personnellement, je trouve que la poésie me vient justement dans les moments les plus inopportuns. L'été dernier, je m'affairais à préparer le récital de ballet de ma fille, qu'il fallait faire suivre d'un dîner à la maison, sans oublier les invités que je me devais de garder à coucher. Je m'apprêtais à me lancer véritablement à fond dans les préparatifs quand un poème commença

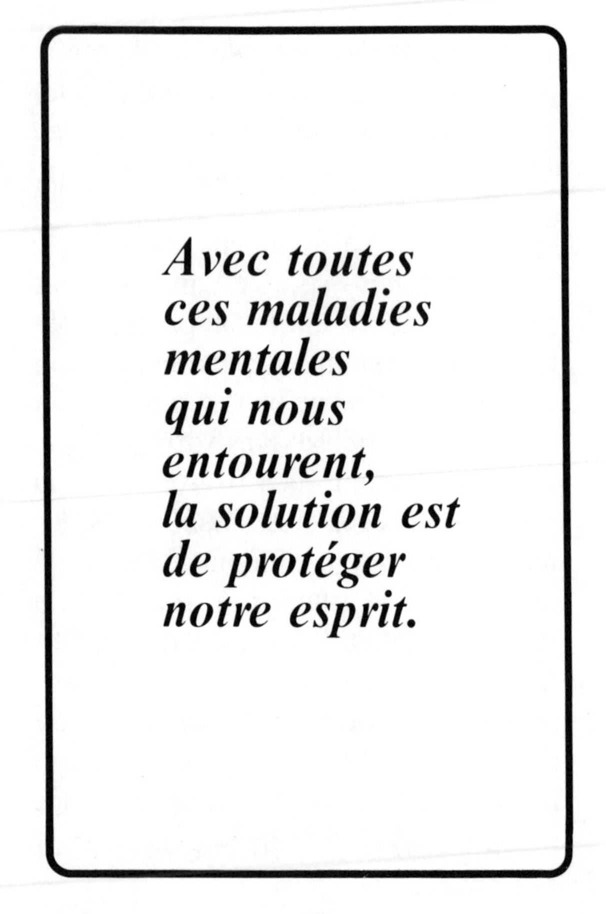
Avec toutes
ces maladies
mentales
qui nous
entourent,
la solution est
de protéger
notre esprit.

à se former dans mon esprit. Voulant naturellement m'occuper de tout et ne rien manquer, je passai la matinée à mettre au point le poème que je destinais à l'école de mes enfants. Le poème s'adressait au principal, à la secrétaire et à tous les enseignants qu'ils avaient eus depuis la maternelle jusqu'à maintenant.

Nous savons que nous sommes ce que nous mangeons, et notre esprit et nos attitudes reflètent ce dont nous les alimentons. J'ai toujours porté beaucoup d'attention à ce dont j'alimentais mon esprit; mes lectures, les films, etc.

Notre esprit est tout aussi important que notre corps sinon plus. Beaucoup de gens se rendent compte de l'importance d'une saine alimentation de nos jours. Combien de temps nous faudra-t-il avant de nous rendre compte de l'importance d'une saine alimentation pour notre esprit.

Il y a des milliers d'années, Dieu savait cela et nous laissa des renseignements vitaux. *«... tout ce qu'il y a de vrai, de noble, de juste, de pur, d'aimable, d'honorable, tout ce qu'il peut y avoir de bon dans la vertu et la louange humaines, voilà ce qui doit nous préoccuper.» (Ph. 4;8).* Notre esprit fonctionne comme une enregistreuse; lorsque nous laissons une chose y entrer, elle s'y imprime.

Cherchez continuellement de nouveaux sujets de motivation. Lisez la Bible. Lisez des biographies édifiantes. La lecture est la meilleure source d'instruction. Lecteurs assidus, nous devenons de meilleure compagnie pour nous-même et pour les autres. Comptez parmi vos amis les plus proches ceux-là dont la vie est un exemple, une inspiration. Attardez-vous aux nombreuses promesses que Dieu vous a faites et réclamez-les pour vous-même. Si Dieu est avec nous, qui peut être contre nous? *Et rappelez-vous, Dieu est avec nous...*

«Le plus bel accomplissement de la vie est le renouvellement continuel de nous-même qui fait que nous savons comment vivre.» (Anonyme). Lorsque Dieu nous donne la richesse, nous devons travailler pour l'obtenir. Qu'il s'agisse d'or, d'argent, de cuivre ou de diamants. Puis il faut la raffiner. Il en est de même pour notre esprit. Il faut trimer dur pour façonner chaque facette de notre caractère.

Je trouve chaque jour si excitant. Rien ne me stimule plus que le sentiment d'accomplir quelque chose. C'est la plus grande récompense qu'accorde la vie. Je suis impatiente de me lever le matin et de me mettre à l'oeuvre. Je déteste avoir à refaire les choses terminées la veille seulement. Quand cela arrive, j'essaie de m'en débarrasser au plus vite pour passer aux choses que j'adore faire.

Habituellement, je dresse le soir le plan de la journée du lendemain; le matin, je suis prête à l'attaquer. Je consacre autant que possible ma première heure à Dieu. Il a droit au meilleur. Voyez-vous, Il est mon partenaire et je dois dire qu'Il en est UN EXCELLENT. Il ne m'a jamais laissée tomber. Évidemment, Il ne fait pas toujours les choses exactement comme je le voudrais, mais les résultats sont presque incroyables. Soyez prudent dans les demandes que vous Lui adressez car Il répond vraiment.

Je me souviens de l'époque où j'ai découvert que les tentatives valent davantage que l'or ou l'argent. J'étais cupide. Je voulais plus. Alors, j'ai prié avec insistance et veuillez m'en croire, Dieu a répondu! Oh la la! Est-ce que la maison s'est écroulée? Cela se passait au moment où je devais fuir la maison, laissant derrière moi mon travail et toutes mes choses à part quelques vêtements. Il s'agissait d'une seule parmi les nombreuses épreuves de ce temps-là. Cependant, encore inconnue de moi, une toute nouvelle vie m'attendait en Californie. Qui aurait pu prévoir cela?

«... le Christ Jésus qui s'est livré pour nous afin de nous racheter de toute iniquité et de purifier un peuple qui lui appartienne en propre, zélé pour le bien.» (Tt 2;14)

Alors, au bout de 80 volumes et 500 heures de lecture, quelles sont mes conclusions quant à savoir comment devenir enthousiaste? À part la prière, je n'ai rien trouvé à ajouter à la formule explosive que découvrit mon mari il y a vingt ans et qui produit des résultats presque miraculeux. En fait, la formule l'a élevé de la médiocrité à la tête d'une équipe de 75 vendeurs.

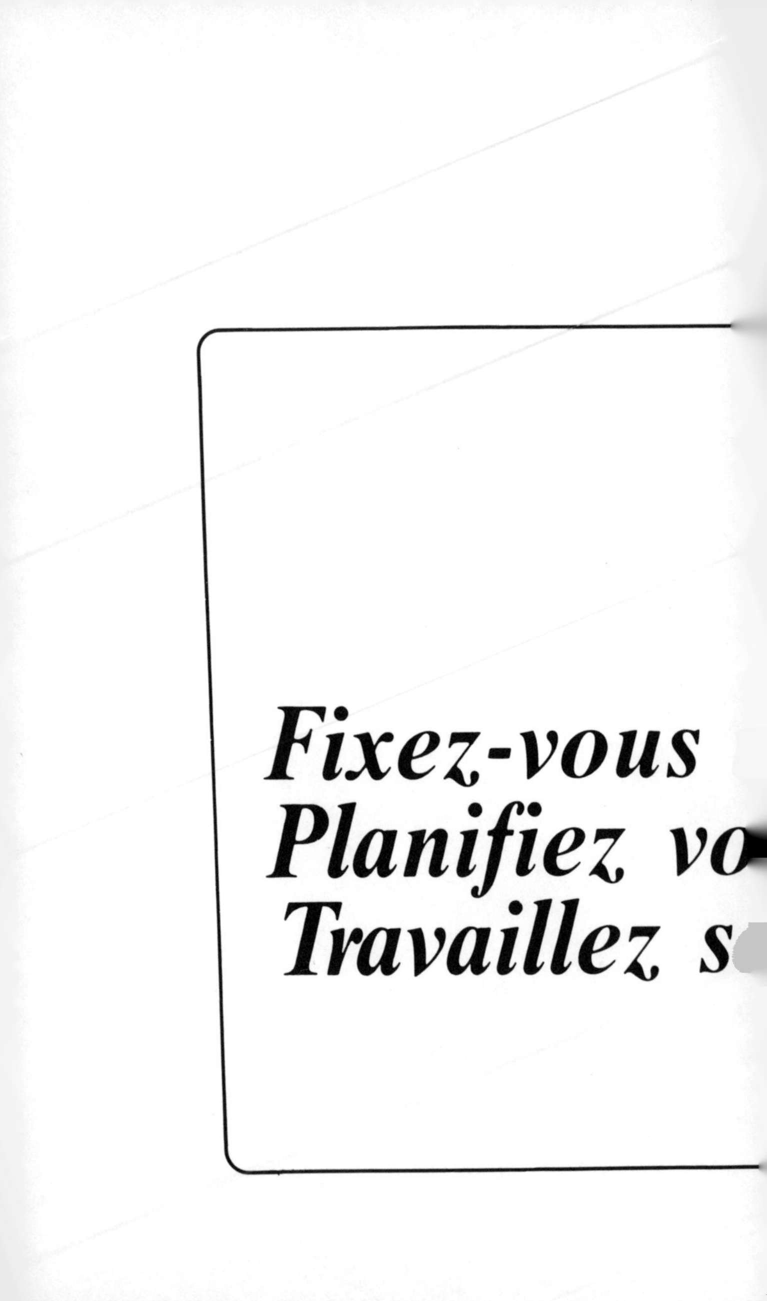
Fixez-vous
Planifiez vo
Travaillez s

but
e travail
on votre plan

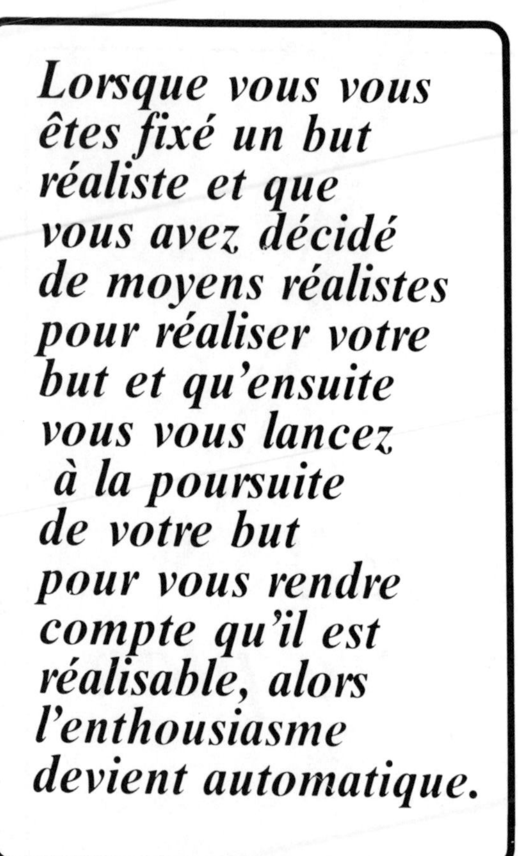
Lorsque vous vous êtes fixé un but réaliste et que vous avez décidé de moyens réalistes pour réaliser votre but et qu'ensuite vous vous lancez à la poursuite de votre but pour vous rendre compte qu'il est réalisable, alors l'enthousiasme devient automatique.

Sans but, l'être humain n'a aucun moyen de mesurer son progrès, n'a pas le sentiment de jouer un rôle; il a tendance à donner dans la nonchalance, la paresse, la dépression.

La raison pour laquelle la plupart des gens ne réussissent pas vient de ce qu'ils ne font pas ce que les gens qui réussissent font. Le scientifique qui réussit doit suivre ou créer une formule, le constructeur un plan, le cuisinier une recette, le capitaine de bateau un compas. Ainsi, si vous espérez réaliser vos buts, vous devez compter sur un plan réaliste et réalisable.

Une fois votre but et votre plan établis, vous devez pratiquer l'autodiscipline pour travailler selon votre plan. Non seulement faut-il vouloir réussir, mais encore faut-il le vouloir suffisamment pour pouvoir dire non à quiconque voudrait vous en dissuader. Par contre, vous découvrirez que, une fois votre but et votre plan décidés, votre attitude toute entière change. Il ne s'agira plus pour vous d'un travail fastidieux mais d'un défi stimulant suscitant automatiquement de l'enthousiasme et les résultats quasi-miraculeux dont il a été question plus haut. On tire une certaine force dans la prise de conscience de ce que l'on veut et des moyens à employer pour l'obtenir, et dans la décision de se mettre à l'oeuvre.

«Qui observe le vent, ne sème point, qui regarde les nuages, ne moissonne pas.» (Qo 11-4)

Ne temporisez pas. Faites ce que vous avez à faire aujourd'hui même. Commencez par le travail qui vous rebute le plus; il ne vous inquiétera plus après.

«Le génie est fait d'un pour cent d'inspiration et quatre-vingt-dix-neuf pour cent de transpiration.» (Edison)

Qu'est-ce qui fait qu'un grand homme est vraiment grand? C'est qu'il a trouvé un besoin et qu'il l'a comblé.

Devenez un leader dans l'enthousiasme. Il ne peut rien arriver de mieux pour l'humanité.

Le monde a besoin d'enthousiasme. Comblons ce besoin et devenons véritablement QUELQU'UN.

DU CARBURANT POUR L'ENTHOUSIASME

Winston Churchill observa un jour que l'esprit humain est incapable de repos, que le changement est la seule forme de relaxation efficace qu'il connaisse à part le sommeil. Plus on apprend, plus on veut apprendre.

La satisfaction humaine semble presque synonyme d'assimilation des gens et des événements extérieurs.

L'homme a été créé avec tout ce qu'il faut pour être heureux. Il est donc capable de joie ineffable et de contentement quand son âme ou son coeur est rempli(e) et fort(e). Recherchez la beauté naturelle de Dieu en tout.

La meilleure façon d'être heureux soi-même consiste à rendre les autres heureux. Vous n'êtes pas entièrement habillé tant que vous n'avez pas revêtu votre sourire.

Aucun cosmétique ne peut fournir la beauté naturelle de l'enthousiasme, ni se comparer à l'enthousiasme.

«Priez comme si tout dépendait de Dieu, et travaillez comme si tout dépendait de vous.»

«La présence d'esprit et le courage dans la détresse sont plus efficaces que des armées dans la poursuite du succès.» (John Dryden)

Une erreur avait auparavant l'habitude de me désarmer. Maintenant, je hausse les épaules et j'essaie de poursuivre mon action. Si vous faites une erreur, tirez-en leçon; oubliez l'erreur, ce n'est pas ça l'important. C'est ainsi que l'on apprend. Ne perdez pas votre temps à vous demander ce qui aurait pu arriver. Vous ne pouvez changer le passé. Occupez-vous d'aujourd'hui.

«En vérité, je vous le dis, si vous avez la foi, ne serait-ce qu'une petite parcelle, vous pouvez déplacer des montagnes.» (Jésus-Christ)

«L'enthousiasme est l'état par lequel on se soucie des autres, mais vraiment.» (Arthur Gordon)

«La tension peut vous être profitable si vous la faites travailler pour vous. La tension vous tient en alerte.» (Carol Channing)

Appréciez-vous, connaissez-vous et respectez-vous vous-même. Ainsi, vous serez davantage en mesure de respecter et d'apprécier les autres.

Vivez chaque jour comme s'il était le dernier. Accomplissez toute tâche comme si vous étiez le patron. Traitez votre prochain comme s'il était vous-même.

Nous sommes sans cesse appelés à créer notre propre avenir. Soyez une personne de décisions. Qu'y a-t-il d'important à savoir dans la vie?

Si vous pouvez répondre à cette question, vous avez une tête d'avance.

L'enthousiasme change la qualité du travail parce qu'il change les gens.

La personne vraiment forte est assez forte pour laisser les autres personnes être ce qu'elles sont et ne se sent pas bousculée par la force des autres. La personne qui se sent forte va son chemin avec une calme confiance.

On nous dit de revêtir le Christ. De la même manière, nous devons revêtir l'enthousiasme jusqu'à ce qu'il devienne partie intégrante de nous-même. Le Christ était rempli d'enthousiasme quand Il a renversé les tables dans le temple de son Père, quand Il a nourri de pain et de poissons des milliers de gens, quand Il a guéri des malades.

La personne la plus heureuse est celle qui entretient les pensées les plus intéressantes; et son bonheur au fil des années ne fera qu'augmenter.

L'Amour
du prochain
suscite de
l'enthousiasme.

L'avenir est toujours brillant et plein d'espoir quand on songe à ce que Dieu a prévu pour nous et qu'Il nous offre.

DU DRAME AU TRIOMPHE

Helen Keller, totalement aveugle; à cinq ans, elle était comme un animal sauvage. Elle finit par obtenir ses diplômes du Radcliffe College. Elle apprit à lire le français, l'allemand, le latin, le grec et l'anglais. Elle monta à cheval, pratiqua la natation et fit de la bicyclette.

Orville Wright, fut renvoyé de son école en sixième année.

Eleanore Roosevelt n'a pas fréquenté l'école élémentaire. Elle dut surmonter de nombreux problèmes émotionnels.

Albert Einstein apprit à parler tard, ne fut pas un bon étudiant mais une source de problèmes pour ses professeurs; il affichait un comportement curieux, était différent des autres. Né avec une tête plus grosse que la moyenne (on pensa à une fièvre cérébrale), un enseignant crut déceler chez lui une maladie mentale.

Charles A. Lindbergh, très peureux, faisait des cauchemars au cours desquels il tombait; cependant, il réussit à traverser l'océan en solitaire à bord d'un aéroplane fragile. Son père admirait beaucoup son courage devant la mort; il fut opéré sans anesthésie.

Rachmaninoff, un désastre à l'école.

Pablo Picasso, qui ne voulut jamais rien faire d'autre que peindre.

Thomas Edison, un dernier de classe. Il pensait que son père le croyait idiot.

Winston Churchill. Hyperactif, sujet aux rhumes, handicapé par un défaut d'élocution, rejeté par son père, négligé par sa mère, on le plaça dans la classe la moins avancée avec les enfants les plus lents. Il en vint à affectionner la poésie martiale et à s'enthousiasmer pour les combats.

LES GRANDS SECRETS DU SUCCÈS

«Le talent de la réussite ne consiste en rien d'autre qu'à faire ce que vous faites bien et à bien faire ce que vous faites, quoi que ce soit, sans penser à la gloire.»
Henry Wordsworth Longfellow

Confucius... La voie de l'homme supérieur est triple : vertueux, il est sans anxiété; sage, il est sans perplexité; hardi, il est sans peur.

Sammy Davis... L'échec consiste à tenter de plaire à tout le monde.

S.S. Kresge... Si vous commencez au bas de l'échelle et apprenez à travailler fort, tout devient facile. Ayez un esprit méthodique et franchissez les étapes.

S.S. Kresge... Couchez-vous tôt, levez-vous tôt, ne mangez pas trop; travaillez fort, aidez les gens; que rien ne vous importune. Occupez-vous de vos propres affaires, soyez enthousiaste et ayez toujours Dieu à l'esprit.

Elbert Hubbard... Ceux qui ne font jamais plus que ce pour quoi ils sont payés, ne sont jamais payés pour plus qu'ils ne font.

Benjamin Franklin... Le vrai succès doit être fait de tempérance, de silence, d'ordre, de résolution, de fragilité, de labeur, de sincérité, de justice, de modération, de propreté, de tranquilité, de chasteté et d'humilité.

EN CAPSULES

L'ENTHOUSIASME est la plus grande richesse au monde. Il surpasse l'argent, le pouvoir et l'influence. Même seul, l'enthousiaste convainc et domine là où la richesse accumulée par une armée de travailleurs suffirait à peine à soulever de l'intérêt. L'enthousiasme foule aux pieds les préjugés et l'opposition, écarte tout au passage dans le feu de l'action, prend d'assaut la citadelle, son objectif et, comme une avalanche, renverse et engloutit tous les obstacles. Ce n'est ni plus ni moins que la foi en action.

Un bon dosage de foi et d'initiative enlève les obstacles montagneux et accomplit l'inédit et le miraculeux.

Semez le germe de l'enthousiasme à l'usine, au bureau ou à la ferme; que votre attitude et vos manières le reflètent; il est contagieux et touche toutes les fibres de votre commerce avant que vous ne vous en rendiez compte; l'enthousiasme vous vaudra un accroissement de la production et une diminution de coûts; il apportera de la joie, du plaisir et de la satisfaction chez vos travailleurs; l'enthousiasme, c'est la vie, réelle, valeureuse, l'enthousiasme produit spontanément des résultats — ces choses vitales qui paient des dividendes.

Henry Chester

PLUS HAUT, TOUJOURS PLUS HAUT

Ce nouveau livre de Robert Schuller enseigne au lecteur à atteindre le succès par le succès. En établissant une série d'objectifs et en les atteignant l'un après l'autre, nous montons pas à pas vers le succès ultime. De ce succès ultime, de ce sommet, nous obtenons une vision plus large et une énergie nouvelle pour viser encore plus haut, toujours plus haut.

C'est un principe que Schuller lui-même a expérimenté pour atteindre l'accomplissement ultime, l'édification de sa Cathédrale de Cristal en Californie. Pas à pas, étape par étape, il a su trouver des idées nouvelles et vaincre chacun des obstacles, avec l'aide et l'appui de ses semblables. Il a toujours su partager et il atteint ainsi un succès sans précédent; il a transformé une mission impossible en un défi et en une réussite fabuleuse.

Ceux qui liront le présent ouvrage et en appliqueront ses principes atteindront un niveau de succès renversant.

9,95$

En vente chez votre libraire

Les Éditions «Un Monde Différent» Ltée
3400 Boul. Losch, Local 8
St-Hubert, Québec, Canada
J3Y 5T6

Achevé d'imprimer
en septembre mil neuf cent quatre-vingt-trois
sur les presses de l'Imprimerie Gagné Ltée
Louiseville - Montréal.
Imprimé au Canada